Trychfilod

Lucy Bowman

Dyluniwyd gan Josephine Thompson

Lluniau gan Ruth Rivers

Addasiad Cymraeg: Elin Meek

Ymgynghorydd trychfilod: Dr Margaret Rostron

Ymgynghorydd darllen: Alison Kelly, Prifysgol Roehampton

Cynnwys

Bach a mawr

Trychfilod yw pryfed, corynnod ac ati.
Mae rhai o bob lliw a llun.

Dyma chwilen Goliath Affricanaidd. Dyma'r
trychfil mwyaf a thrymaf yn y byd.

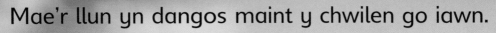

Mae'r llun yn dangos maint y chwilen go iawn.

3

Corff trychfil

Mae trychfilod yn gallu edrych yn wahanol iawn, ond mae rhai pethau sydd yr un peth.

Mae ganddyn nhw gragen galed y tu allan i'w corff, yn lle esgyrn.

Sgerbwd allanol yw'r enw ar y gragen.

Mae sgerbwd allanol y chwilen rheinoseros yn gryf iawn.

Mae gan drychfilod chwe choes o leiaf.

Mae gan rai, fel y neidr gantroed, lawer mwy o goesau.

Mae gan gorff trychfil sawl rhan. Mae tair rhan gan gacynen.

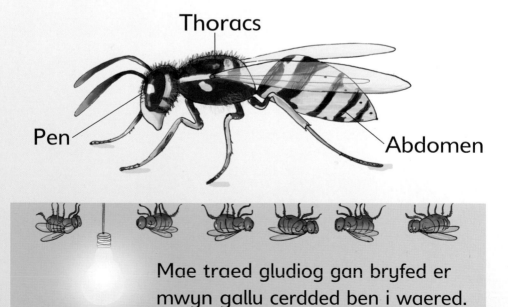

Thoracs

Pen

Abdomen

Mae traed gludiog gan bryfed er mwyn gallu cerdded ben i waered.

Trychfilod bach

Mae'r rhan fwyaf o drychfilod bach yn deor o wyau.

Mae mam corryn yn dodwy llawer o wyau. Mae corryn bach ym mhob un.

Mae hi'n gwneud sidan ac yn lapio'r wyau i wneud sach wyau.

 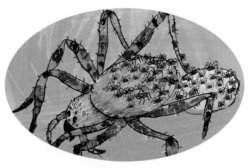

Mae hi'n rhoi'r sach wrth ei chorff ac yn ei chario gyda hi.

Mae'r rhai bach yn tyfu yn yr wyau. Yna maen nhw'n deor.

Nymffau yw'r enw ar y trychfilod tarian bach hyn. Mae eu mam yn eu gwarchod rhag corryn llwglyd.

Gall chwilen ddu gael dwy filiwn o rai bach bob blwyddyn!

Ymosod!

Mae rhai trychfilod yn bwyta trychfilod ac anifeiliaid eraill. Maen nhw'n ymosod ar ysglyfaeth mewn ffordd arbennig.

Mae gan sgorpion grafangau cryf a chynffon sy'n pigo i ddal ei ysglyfaeth.

Yn Ne America, mae
neidr gantroed sy'n
bwyta ystlumod bach
mewn ogofâu tywyll.

Mae'r neidr gantroed
yn hongian o do'r
ogof.

Mae'n cydio mewn
ystlum sy'n hedfan, yn
chwistrellu gwenwyn
i mewn iddo ac yn
ei fwyta.

Mae mantis gweddïol yn gallu troi ei ben
yr holl ffordd rownd i weld ei ysglyfaeth.

9

Gosod magl

Mae rhai trychfilod yn gosod magl neu drap i ddal eu hysglyfaeth.

Mae antlion yn cloddio pydew yn y tywod. Mae'n cuddio yn y gwaelod.

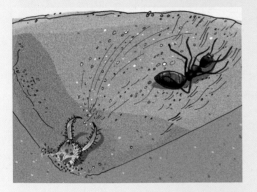

Mae morgrugyn yn cwympo i'r pydew. Mae'r antlion yn bwrw tywod tuag ato.

Dydy'r morgrugyn ddim yn gallu dianc. Mae'r antlion yn cydio ynddo ac yn ei fwyta.

Mae'r corryn hwn
wedi gwneud
gwe o sidan.

Mae trychfilod
bach yn hedfan i
mewn i'r we ac
yn mynd yn
sownd. Mae'r
corryn yn eu dal
ac yn eu bwyta.

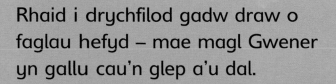

Rhaid i drychfilod gadw draw o
faglau hefyd – mae magl Gwener
yn gallu cau'n glep a'u dal.

11

Cadwch draw!

Os bydd rhywbeth yn ymosod, mae trychfilod yn eu hamddiffyn eu hunain.

Mae haid o forgrug llwglyd yn ymosod ar chwilen danio.

Mae'n tanio cemegau berwedig at y morgrug i godi ofn arnyn nhw.

Dyma finegarŵn. Mae'n chwistrellu hylif sy'n pigo ymosodwyr.

Mae gan ambell
lindys farciau a
phatrymau llachar.

Maen nhw'n dweud
wrth greaduriaid
eraill eu bod nhw'n
wenwynig.

Mae trychfilod
drewllyd yn
gwneud drewdod
i'w hamddiffyn
eu hunain.

13

Cuddwisg

Mae corff rhai trychfilod yn edrych fel pethau eraill. Felly maen nhw'n gallu cuddio rhag ymosodwyr. Cuddwisg yw'r enw ar hyn.

Mae corff pigog gan drychfilod draen.

Maen nhw'n edrych fel draen ar goesyn.

Mae patrymau fel rhisgl coeden ar adenydd y gwalchwyfyn hwn.

Mae rhai pryfed yn edrych fel cacwn, ond dydyn nhw ddim yn gallu pigo.

Mae trychfil deilen enfawr yn y llun, ond mae'n anodd ei weld.

15

Gwlyb a sych

Mae trychfilod yn gallu byw mewn mannau gwahanol iawn – mewn diffeithwch, yn uchel yn y mynyddoedd a hyd yn oed yn Antarctica oer.

Dyma geiliogod sioncod gwair yr anialwch sy'n cuddio yn y tywod fel arfer.

Wedi bwrw glaw, mae planhigion yn tyfu a daw'r ceiliogod sioncod gwair allan i fwydo.

Mae hirheglynnod y dŵr yn ysgafn iawn. Mae eu coesau'n ymestyn o'u corff.

Mae'r coesau hir yn eu helpu i gydbwyso ar wyneb y dŵr.

Mae chwilen blymio fawr yn nofio drwy'r dŵr.

Mae'n gweld pysgodyn bach . . .

. . . ac yn plymio i lawr yn sydyn i'w ddal.

Adeiladu

Mae rhai trychfilod yn gweithio gyda'i gilydd
i adeiladu nyth.

Mae'r cacwn hyn yn adeiladu nyth papur.
Maen nhw'n cnoi pren i wneud
stwnsh ac yn adeiladu ag e.

Mae morgrug gwehyddu yn adeiladu eu nythod o ddail.

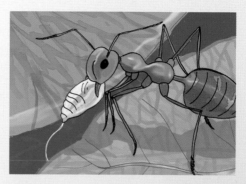

Mae morgrug mawr yn cario morgrug bach, o'r enw larfae, at ddail ffres.

Maen nhw'n gwasgu'r larfae'n dyner ac mae llawer o sidan gludiog yn dod allan.

Mae'r sidan yn gludio dwy ddeilen wrth ei gilydd, yna mwy a mwy.

Maen nhw'n trefnu'r dail yn nyth ac yn byw ynddo gyda'r larfae.

Hedfan

Mae trychfilod sy'n hedfan yn symud eu hadenydd tenau'n gyflym i aros yn yr awyr.

Mae gwas y neidr yn dodwy wyau o dan y dŵr. Mae nymffau yn dod allan.

Mae nymff yn byw o dan y dŵr tan iddo dyfu. Yna, mae'n dringo i ben planhigyn.

Pan fydd allan o'r dŵr, mae'n bwrw ei groen. Nawr mae ei gorff a'i adenydd yn feddal.

Mae gwas y neidr yn aros i'w gorff galedu ac i'w adenydd sychu cyn hedfan i ffwrdd.

20

Dyma chwilen Mai. Mae wedi agor ei chas adenydd caled er mwyn i'r adenydd ddod allan.

Cas adenydd

Mae'r adenydd yn symud mor gyflym, maen nhw'n gwneud sŵn hymian swnllyd.

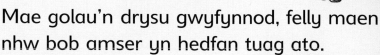

Mae golau'n drysu gwyfynnod, felly maen nhw bob amser yn hedfan tuag ato.

Trychfilod yn newid

Mae llawer o drychfilod yn newid sut maen nhw'n edrych wrth dyfu.

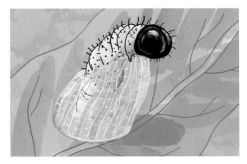

Mae lindysyn bach yn deor o wy pitw bach ac yn dechrau bwyta llawer o ddail.

Pan fydd y lindysyn wedi tyfu'n fawr, mae'n hongian ben i waered o gangen.

Mae'n newid yn chwiler y tu mewn i'w groen cyn i'r hen groen hollti a chwympo.

Mae'r croen newydd yn troi'n gas caled. Y tu mewn, mae corff y lindysyn yn newid.

Ar ôl pythefnos, mae'r cas caled yn agor ac mae iâr fach yr haf liwgar yn cropian allan.

Mae ceg yr iâr fach yr haf fel gwelltyn. Mae'n sugno sudd melys o'r enw neithdar o flodau.

Trychfilod drwg

Mae rhai trychfilod yn y byd yn gwneud niwed i bobl.

Mae miliynau o locustiaid y diffeithwch yn hedfan o gwmpas yn haid gyda'i gilydd.

Maen nhw'n bwyta cnydau nes bod dim bwyd ar ôl i'r ffermwr ei fwyta neu ei werthu.

Mae gwenyn ffyrnig yn dilyn a phigo unrhyw beth sy'n dod yn rhy agos i'w cwch.

Mae pryfed yn lledu germau ar fwyd gan wneud pobl yn sâl.

Mae'r weddw ddu yn gallu brathu a lladd pobl.

Gall rhai mosgitos benywaidd yfed gwaed drwy eu ceg sydd fel gwelltyn. Oherwydd hyn, gall pobl gael salwch difrifol o'r enw malaria.

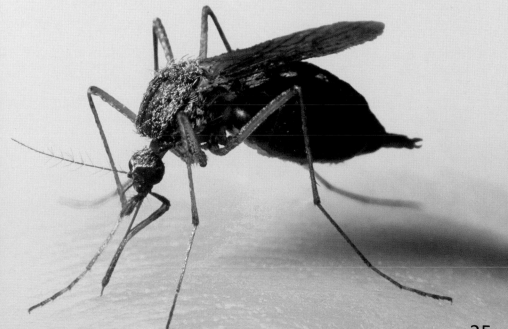

Trychfilod mewn cariad

Mae angen i drychfilod ddod o hyd i gymar er mwyn gallu dodwy wyau neu gael rhai bach.

Mae corff pryfyn tân yn gwneud golau. Mae'n fflachio i ddenu cymar.

Mae gwyfyn benywaidd yn gwneud arogl sy'n denu llawer o rai gwrywaidd.

Weithiau mae trychfilod benywaidd yn bwyta eu cymar.

Fel arfer, mae'r sicada'n byw o dan ddaear. Dim ond er mwyn dod o hyd i gymar y daw i'r wyneb.

Mae'r sicada gwrywaidd hyn yn chwibanu, clician neu suo i ddenu cymar benywaidd.

27

Help llaw

Mae trychfilod yn gwneud gwaith pwysig iawn.

Gall chwilen y dom
rolio tail anifeiliaid
dros y ddaear.

Mae rhai chwilod yn claddu'r tail. Mae'n dda
i'r pridd ac yn helpu planhigion i dyfu.

Mae gwenyn yn helpu planhigion i dyfu.

Mae gwenynen yn
glanio ar flodyn.
Mae paill gludiog yn
mynd yn sownd ar
flew ei chorff.

Mae'r wenynen yn
hedfan i flodyn arall.
Daw peth o'r paill oddi
ar y wenynen.

Mae'r blodyn yn defnyddio'r
paill i wneud hadau sy'n troi'n
blanhigion newydd.

Geirfa trychfilod

Dyma rai o'r geiriau yn y llyfr hwn sy'n newydd i ti, efallai. Mae'r dudalen hon yn rhoi ystyr y geiriau i ti.

 sgerbwd allanol – cragen galed y tu allan i gorff trychfil.

 sach wyau – defnydd fel sidan sy'n dal wyau.

 ysglyfaeth – creaduriaid y mae trychfilod eraill yn eu hela neu eu dal i'w bwyta.

 cuddwisg – mae'n gwneud i'r trychfil edrych fel y man lle mae'n byw.

 larfae – trychfilod bach. Mae eu corff yn newid llawer wrth dyfu.

 cas adenydd – cas caled sy'n gwarchod adenydd trychfil.

 chwiler – y cam rhwng lindysyn ac iâr fach yr haf.

Gwefannau diddorol

Os oes gen ti gyfrifiadur, rwyt ti'n gallu dysgu rhagor am drychfilod ar y Rhyngrwyd.

I ymweld â'r gwefannau hyn, cer i
www.usborne-quicklinks.com

Caiff y gwefannau hyn eu hadolygu'n gyson a chaiff y dolenni yn 'Usborne Quicklinks' eu diweddaru. Fodd bynnag, nid yw Usborne Publishing yn gyfrifol, ac nid yw chwaith yn derbyn atebolrwydd, am gynnwys neu argaeledd unrhyw wefan ac eithrio'i wefan ei hun. Rydym yn argymell i chi orchwylio plant pan fyddant ar y Rhyngrwyd.

Mae llawer o drychfilod yn chwilio am fwyd mewn blodau.

Mynegai

Cydnabyddiaeth

Trin ffotograffau: John Russell

Cydnabyddiaeth lluniau

Mae'r cyhoeddwyr yn ddiolchgar i'r canlynol am ganiatâd i atgynhyrchu deunydd:
© **Alamy** 20–21 (blickwinkel); © **Ardea** 25 (Steve Hopkin); © **Corbis** 4, (Wolfgang Kaehler), 11 (Oswald Eckstein/zefa), 14 (George McCarthy), 16 (Frans Lemmens/zefa); © **Digital Vision** 8; © **FLPA** Clawr (Jef Meul/Foto Natura), 17 (H. Eisenbeiss), 28 (Mitsuchiko Imamaori/Minden Pictures); © **Nature Picture Library** 1, 7, 18 (Kim Taylor), 2–3 (Bruce Davidson), 13 (Delpho/ARCO); © **NHPA** 12 (James Carmichael Jr), 23 (T. Kitchin a V. Hurst); © **Photolibrary.com** 14 (Brian P. Kenney); © **Science Photo Library** 15 (Richard R. Hansen), 27 (Gary Meszaros); © **Still Pictures** 5 (W. Layer); © **Superstock** 31.

Cyhoeddwyd gyntaf yn 2007 gan Usborne Publishing Ltd.,
Usborne House, 83–85 Saffron Hill, London EC1N 8RT.
Cyhoeddwyd gyntaf yng Nghymru yn 2014 gan Wasg Gomer, Llandysul, Ceredigion SA44 4JL.
www.gomer.co.uk
Cyhoeddwyd gyda chefnogaeth Llywodraeth Cymru.
Cedwir pob hawl. Argraffwyd yn China.